loupiotte

À papa

ISBN : 978-2-211-07926-6
Première édition dans la collection lutin poche : mai 2005
© 2000, l'école des loisirs, Paris
Loi numéro 49 956 du 16 juillet 1949 sur les publications
destinées à la jeunesse : mars 2000
Dépôt légal : juin 2008
Imprimé en France par Pollina à Luçon - n°L47115

Frédéric Stehr

loupiotte

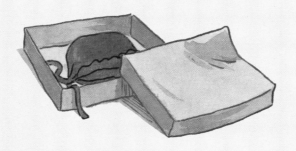

lutin poche de l'école des loisirs
11, rue de Sèvres, Paris 6e

« Où vas-tu ma petite louve avec ce chapeau rigolo ? »
« Ce n'est pas un chapeau,
mais un chaperon de velours rouge », répond Loupiotte.
« C'est Papylou qui me l'a offert et, pour le remercier,
je vais lui apporter cette tartiflette. »
« Sois prudente et méfie-toi des mauvaises rencontres »,
dit maman louve.
« Ne t'inquiète pas maman,
les loups n'ont peur de personne ! »

Sur le chemin, Loupiotte rencontre un ogrion.
Quand les ogres n'ont pas d'enfants à manger, ils mangent
des loups. Et cela, Loupiotte l'ignore.

« Où vas-tu avec ce chapeau ridicule sur la tête ?
C'est carnaval aujourd'hui ? »
« Ce n'est pas un chapeau, mais un chaperon de velours rouge
que m'a offert mon Papylou qui habite près de la source.
Et pour le remercier, je lui apporte cette tartiflette. »

« Ton Papyloup peut bien attendre un peu », dit l'ogrion.
« Si on jouait à cache-cache ? C'est toi qui comptes ! »
« 1… 2… 3… » commence à compter Loupiotte…
pendant que l'ogrion file tout droit à la tanière de Papyloup.
« Miam… miam ! Un Papyloup, plus une petite louve,
plus une tartiflette en dessert… ça, c'est un repas
comme je les aime ! »

Papyloup ne ferme jamais sa porte.
Pas même pendant sa sieste.
L'ogrion se jette sur lui et le ficelle
comme un saucisson.

«J'adore les repas de carnaval !» chantonne-t-il
en se déguisant en Papyloup.
Il se prépare à accueillir Loupiotte et sa tartiflette.

Loupiotte en a assez de compter. Elle a abandonné le jeu.

« Bonjour, mon Papyloup ! Regarde ce que je t'apporte », dit-elle
en se précipitant dans les bras de l'ogrion-Papyloup.

« Aïe ! ! ! Tu piques ! » râle l'ogrion.

« Ben, c'est ma moustache », dit Loupiotte. « Et toi, Papyloup ?
Qu'as-tu fait de la tienne ? »

« Je… je l'ai rasée. C'est pour mieux t'embrasser, ma petite louve. »

« Et tes pattes, Papyloup ? Comme tu as de drôles de pattes ! »

« Bon ! Ça suffit comme ça ! Assez discuté ! » s'impatiente l'ogrion.

L'ogrion n'a pas fini de ficeler Loupiotte quand, soudain,
il entend des pas dehors.
« Ce doit être la mère louve. C'est vraiment mon jour de chance !
Je vais faire un festin d'ogre ! »

Eh non ! Ce n'est pas la mère louve mais trois vieux ogres affamés
qui ont repéré les traces de loup et qui les ont suivies jusqu'à la tanière.
« On le tient ! » hurlent les trois ogres qui pensent avoir affaire au loup.
Le petit d'ogre veut répondre mais la peur lui noue la gorge :
« Ne… ne me mange pas… papa… c'est moi. »
« C'est ça », ricanent les ogres, « et nous, on est les trois petits cochons ! »

«Et moi, je suis le grand méchant loup!» dit maman louve
en les menaçant de son escopette.
Loupiotte et Papyloup sont sauvés.

Pour se réconforter, Papyloup, maman louve et Loupiotte
mangent la délicieuse tartiflette.
« Demain », dit maman louve, « je vous ferai
une bonne soupe à l'ogre ! »

«Je n'ai pas eu peur», dit Loupiotte en tremblant
dans les pattes de maman louve.
«Moi non plus», dit Papyloup.